EL PRIMER BESO DE FROGGY

EL PRIMER BESO DE FROGGY

por JONATHAN LONDON
ilustrado por FRANK REMKIEWICZ

traducido por Miriam Fabiancic

SCHOLASTIC INC.
New York Toronto London Auckland Sydney
Mexico City New Delhi Hong Kong

Para Aaron y Sean, dos lindos sapitos,
y para su mamá, Maureen.

Y para Marylynne McLaughlin, una bibliotecaria muy especial.
　　—J. L.

Para los "valentines": Ken, Alma y Rhapsody
　　—F. R.

ISBN 0-439-26024-8

Text copyright © 1998 by Jonathan London. Illustrations copyright © 1998 by Frank Remkiewicz.
Spanish translation copyright © 2000 by Scholastic Inc. All rights reserved. Published by Scholastic Inc.,
555 Broadway, New York, NY 10012, by arrangement with Viking Penguin, a division of Penguin Putnam Inc.
SCHOLASTIC and associated logos are trademarks and/or registered trademarks of Scholastic Inc.

12 11 10 9 8 7 6 5 4　　　　　　　　　　　　　　　　　　　　3 4 5 6/0

Printed in the U.S.A.　　　　　　　　　　　　　　　　　　　08

First Scholastic Spanish printing, January 2001

Set in Kabel

Era la semana antes del día de San Valentín.
Froggy sabía que ese día tendría caramelos,
y que además San Valentín
era el día del amor.

En la escuela, Froggy estaba distraído.

¡FRROGGYY!

—lo llamó su maestra,
la señorita Copetuda.

—¿Qué-é-é-é-é?
—Por favor, presta atención, querido.

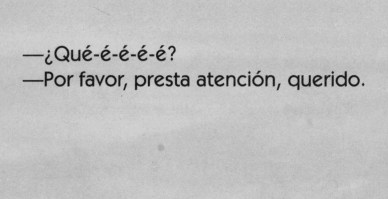

Entonces Froggy vio
a la sapita más linda del mundo,
una sapita
nueva en su clase.

Se llamaba Froguilina,
y cuando le sonrió

Froggy sintió
algo en la barriga,
como si hubiera comido
gusanitos de desayuno.

¡FRRROOGGYY!

—lo llamó la maestra.

—**¿Qué-é-é-é-é?**—Mira tu tarea, querido,
no a tus compañeros.
Eso no es de buena educación.
—Perdón —dijo Froggy.

En el recreo, Froguilina le sonrió a Froggy a través del pasamanos. Froggy estaba colgado boca abajo de una barra

y cuando la vio, se fue de cabeza al suelo: ¡POM!

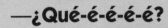
—**¿Qué-é-é-é-é?**
—Por favor, trabaja sobre tu pupitre,
querido. Y no hagas tanto lío.

Cuando Froggy quiso ponerse de pie,
se dio con el pupitre en la cabeza: ¡POM!
Todos se rieron,
especialmente Froguilina.

Al día siguiente, a la hora de almorzar,
Froguilina se sentó nuevamente al lado de Froggy.
Le sonrió y sacó su lonchera.
—Froggy, tengo una sorpresa para ti. Cierra los ojos.
¡Y a que no sabes qué le dio!

Un rico y enorme… **¡BESO!**
¡Justo en la mejilla!

¡AYAYAYAYYY!

—aulló Froggy,
con la cara más colorada
que verde.

Froggy tomó su lonchera y salió chapaleando:
CHOF, CHOF, CHOF.

Sentía algo raro en su barriguita;
no había podido probar su almuerzo...
¡ni siquiera el postre!

En el autobús de regreso a casa todo
el mundo le hacía bromas…
¡hasta Max, su mejor amigo!
Le cantaban: —"¡Froggy tiene novia!
¡Froggy tiene novia!".

—¡No! ¡No tengo! —
exclamaba Froggy.

Cuando el bus llegó a casa,
Froggy chapaleó todo el camino:
CHOF, CHOF, CHOF.

Pero sentía un gran peso
en el corazón.
¿Sería el amor?
¿O sería el hambre?
¿O sería su mochila
con todas esas tarjetas de San Valentín?

—¿Qué hiciste hoy en la escuela, Froggy?
—le preguntó su mamá.
—Hicimos tarjetas de San Valentín —dijo Froggy.

—¿Hiciste alguna tarjeta para alguien...*especial*?
Froggy se puso casi violeta y salió chapaleando a su
cuarto: CHOF, CHOF, CHOF.

Pero a la mañana siguiente, el Día de San Valentín,
Froggy le sirvió a su mamá
el desayuno en la cama, y le dijo:
—Mami, ese alguien…*especial*…
¡ERES TÚ!

Y le dio a su mamá
el enorme corazón que decía
TE QUIERO.

Y su mamá le dio un montón
de ricos besitos…
¡de chocolate!